JN097033

わたしが
教えてもらったこと

作・絵　これつね ひろみ
Hiromi Koretsune

わたしが教えてもらったこと。

それは、友だちは大事ってこと。

一緒に笑って

一緒に泣いて

分かり合えること。

正直にすると、とても信頼されるということ。

地球も 季節も 星空も

神さまが人間のために造ってくれたということ。

たとえ独りぼっちに思えても
愛してくれる人がいる。
いろんな人からの
いろんな愛を
みんな受けているんだよ。

そう思うと勇気が湧いてくる。

〞愛するしあわせ〞と
〞愛されるしあわせ〞
どちらも同じくらい大切。

わたしが教えてもらったこと。

”もらうより、あげるほうがしあわせ”ということ。

相手のよろこぶ顔を想像しながら
プレゼントを選ぶ時間は

とても贅沢なひとときき。

誰かのしあわせを
心から願っているときは
不満なんてどこかへ飛んでっちゃう。

はて?
何で
怒ってたんだっけ?

他にもたくさん教えてもらったことがある。

”自分にして欲しいように

人にも接する”ということ。

そのためには まず…

自分にして欲しいことを

考えてみる必要があるってこと。

どんなときに嬉しい気持ちになる？

どんなとき、ホッとする？

私は何をして欲しいのかな？

陰ながらの努力に気づいて貰えたときは

すごく嬉しいし

つらいときに「泣いていいよ」と言われると

ホッとして泣いてしまう。

人に優しくできないなって思ったら

まず鏡を見て、自分のいいトコを見つけよう。

見つけた自分のいいトコをいっぱい褒めて
褒め言葉の貯金を満タンにしよう。

満タンになると自然と優しい言葉が出てくるの。

わたしが教えてもらったこと。

自分がすることに責任を持つということ。

必ず明日がくるということ。

好奇心を忘れちゃいけないってこと。

覚悟を決めて、一歩踏み出すこと。

夢は必ず叶うということ。

夢が叶ったら
写真を貼ってね

わたしが教えてもらった中で、特に大切なこと。

それは、命をもらったお陰で
心からだれかを愛せるということ。

たくさん教えてもらえることに感謝すること。

そして最後に…

生きるって素晴らしい！ってこと。

~あとがき~

私は、たくさんの方から色んな大切なことを教わりました。
自分で悟ったものなんて何もなくて、すべて誰かに教えてもらいました。
きっとこれからもたくさんの素敵なことを教わっていくんだと思うとわくわくします。
この本を通して、大切で大好きな方がたに日頃の感謝を少しでもお伝えできたらとても嬉しいです。
これまで私に大切なことを教えてくれた博司パパ、お母さん、康ちゃん、文美お姉ちゃん、彩里ちゃん、まゆみん、まみりん、トコちゃん、さっちゃん、留美子ちゃん、みっちゃん、綾ちゃん、麻実ちゃん、さやちゃん、ゆーちゃん。またここには書ききれないたくさんのお友だちの皆さま。
更に、この本の出版のためにたくさんアドバイスをしてくださった三恵社の日比さん。
そして、私のいちばんの理解者 最愛の夫かっくんに。
心からの感謝を込めて…

Hiromi Koretsune

2023年 秋

わたしが教えてもらったこと

2023年 10月 1日　初版発行

作・絵　これつね ひろみ

発行所　株式会社　三恵社

〒462-0056　愛知県名古屋市北区中丸町2-24-1
TEL 052-915-5211　FAX 052-915-5019
URL　https://www.sankeisha.com

ISBN978-4-86693-851-6